さいばいのながれ

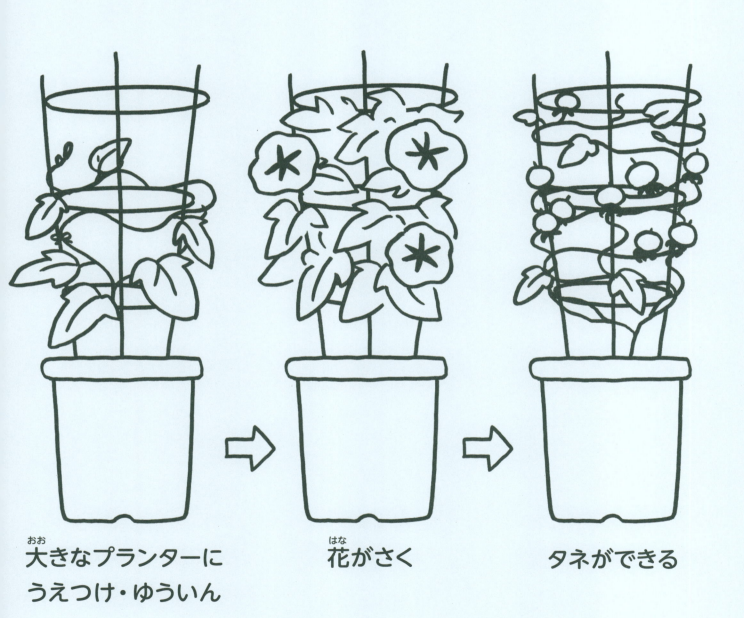

大きなプランターに
うえつけ・ゆういん

→

花がさく

→

タネができる

わくわく園芸部
③ アサガオ

清水俊英 [著]

誠文堂新光社

はじめに

みなさんが食べている野菜やくらしをいろどってくれる花は、すべて植物です。植物はじんるいが生まれた時にはすでに「ちきゅうのせんぱい」として生きていました。

この本は、そんなちきゅうのせんぱいである植物をさいばいしながら、そだてる楽しさ、いのちの大切さ、植物のふしぎをかんじてもらうために作りました。

さいばいには、ほんの少しのコツとかんさつのポイントがあります。それさえまもれば、いままでそだてたことのない君も、うまくそだてられるぞ！

さあ、さいばいにチャレンジして、かんさつしながら、植物のふしぎをのぞいてみよう。

この本の使い方

さいばいについて
このページではさいばいについて、どんなおせわがいるのかまとめているよ。

写真
道具やおせわのやり方が写真でわかりやすい。

二次元バーコード
スマホやタブレットで、植物の動画を見ることができる。

日数
タネまきから何日目かをしめしている。

マンガ
さいばいやかんさつのポイント、植物のふしぎをマンガでしょうかいしているよ。

もくじ

- はじめに 2
- この本の使い方 2
- マンガ わくわく園芸部へようこそ！ 4
- さいばいのじゅんび 6
- かんさつのこころえ 8
- きろく 9
- タネをまこう 10
- 発芽 12
- マンガ 発芽にひつようなもの 13
- うえつけ 14
- さいばい中のおせわ 16
- マンガ 春まき秋まき 17
- つるがのびてきたら、摘芯 18
- マンガ つるはどっちまき？ 19
- 摘芯（2回目）とゆういん 20
- つぼみ 22
- マンガ アサガオはいつさくの？ 23
- 花がさいた 24
- 花のかんさつポイント 25
- タネをとってみよう 26
- マンガ とったタネは何色の花？ 27
- はっぴょうする・つたえる 28
- アサガオ新聞 29
- マンガ さいばいをふりかえる ～おわりにかえて～ 30

わくわく園芸部へようこそ！

さいばいのじゅんび

アサガオのタネをまいて、プランター（鉢）でさいばいします。さいばいで使う道具をそろえましょう。写真とおなじものでなくても、みぢかなものをかわりに使ってみてもよいでしょう。

じゅんびするもの

タネ
タネは、ホームセンターや園芸店でかうことができます。7〜8月にさくタイプのアサガオをそだてます。好きな色のアサガオをえらんでもいいでしょう。

ポット

アサガオはポットにタネをまいて苗を作ってから、プランターにうえかえます。直径10.5センチメートルほどの大きさのポットをえらびます。

プランター（鉢）

さいしょは小さい苗もやがて大きくなるので、土が5〜10リットル入るものをよういしましょう。まるいものが使いやすいよ。

土（培養土）

土は「花栽培用の土」を使います。水はけがよく、ほすいせい（土の中に水分をたもつこと）があり、ひりょうも少し入っています。

ひりょう

米つぶほどの大きさ（粒状）の化成肥料をよういしましょう。さいばいがおわるまでに、100グラムほどあれば足ります。

ばしょ

日あたりがよい、南東〜南向きにひらけたばしょでそだてます。日あたりがわるいと、よく成長しません。また、風とおしがよいばしょの方が、虫や病気のひがいが少ないです。

ふくそう

日よけのためにぼうしをかぶって、長そでのシャツなどで作業します。また、土よごれが気になる人は、ぐんてやビニール手ぶくろをしましょう。

シャベルなど

シャベルは、うえつけで使います。また、土のふくろからポットに土をうつす時には、シャベルより、写真右のようなカップ状の道具があるとべんりです。

ジョウロ

ジョウロは2リットルほどのものをよういします。ハス口（水が出るところ）にゴミがつまりやすいので、とりはずしできるものがよいでしょう。

しちゅう

植物をささえるものをしちゅうといいます。アサガオは、写真のようなしちゅうを使います（行燈しちゅう）。鉢のサイズにあわせてよういしましょう。

ひも

アサガオの茎としちゅうをとめます。あさひもが使いやすいです。

7

かんさつのこころえ

大切なことは、毎日かんさつをすることです。かんさつすることで、植物のへんかがわかり、おせわをするポイントもわかってきます。

はなれてぜんたいを見る
植物ぜんたいがどのような形になっているか、はなれて見てみましょう。茎がのびたり、葉が大きくなるという大きなへんかがわかります。

ちかくでかんさつする
植物がせいちょうする時、さいしょは小さなへんかからはじまります。虫メガネを使うと、植物の毛を見ることができるかもしれません。

色でわかる植物のサイン
色のかんさつをしましょう。たとえば、葉やつぼみの色のへんかで成長がわかります。

虫や病気がないかもチェック
かんさつしながら、虫や病気もチェックしましょう。葉のうらなど、見えにくいところもしっかり見ます。

きろく

毎日のようすを文や絵、写真できろくしよう。前の日とくらべて、どのようなへんかがあったか、どんなおせわをしたかもきろくしましょう。

1 植物のへんかをきろくする
芽が出る、双葉がひらく、本葉が出る、つぼみがつく、花がさくなどのへんかがあったらきろくしよう。

2 かずをかぞえる
葉が何枚あるか、せの高さは何センチメートルかをきろくします。花のかずもチェックしましょう。

3 植物のようすをきろくする
風で葉がおれてしまった、葉の色がうすくなった、虫や病気が出たなど、小さなへんかもメモしよう。

4 おせわ
水やひりょうをやったらきろくしましょう。おせわをしたら、アサガオがどのようにへんかしたかかんさつします。

タネをまこう

9〜10.5センチメートルのポットに土を入れて、タネをまきます。5月中にまこう。ポットで苗の大きさまでそだてて、そのあと大きなプランター（鉢）にうえかえます。

タネを見てみよう

拡大

ふくろからタネを出して、かんさつしてみよう。タネの大きさもはかってみよう。

タネぶくろ（おもて）

アサガオはいろいろなしゅるいがあります。夏にさくもの、秋にさくものと大きくふたつにわかれます。この本では7〜8月にさくしゅるいを育てます。

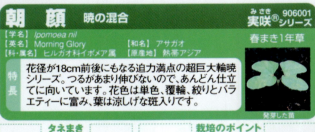

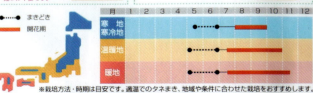

タネぶくろ（うら）

タネぶくろのうらには、たくさんのじょうほうがのっています。タネまきのじきや、温度もかいてあります。5月にはタネをまきましょう。

タネまき

1 ポットに土を入れる

土はポットのふちから5ミリメートルくらい下まで入れます。水やりをした時に、あふれないようにするためだよ。

2 あなをあける

ゆびで土の表面に、3つのあなをあけます。ふかさは1センチメートルくらいです。

3 タネをまく

あなに1つぶずつタネをまいて、土を1センチメートルくらいかぶせます。

4 土をかるくおさえる

土の表面をかるくおさえて、水やりなどでタネがながれてしまわないようにしよう。

5 水をやる

ジョウロでやさしく水をまこう。タネまきの時は、きりふきなどを使ってもよいでしょう。

タネをたくさんまくのはなぜ？

タネは生き物だから、まいたものすべてが発芽するとはかぎらないぞ。そのため、1ポットに2〜3つぶのタネをまきます。植物をタネからそだてる時の大切なポイントだよ。

＊タネまきがまに合わなかったり、苗作りがうまくいかなかった時は、園芸店やホームセンターでアサガオの苗をかって、14ページのうえつけからさいばいをはじめることができます。

発芽

芽が出る時、くびをかしげたようなかっこうで出てきます。それから双葉がひらきます。ひらくタイミングを見のがさないように！

タネまきから **5〜10** 日目

発芽のようす

土から芽が出ました。

双葉がひらいたよ。形と大きさをきろくしておきます。

茎の色がうすい緑色のもの、赤いものがあります。それぞれきろくしておき、何色の花がさくのかかんさつしてみましょう。

本葉が出たらまびき

本葉がひらく 3枚目の葉からが本葉です。

まびき
本葉2枚が写真の大きさになったら、元気のよい1本をのこして、あとの2本をハサミを使って、根元からきろう。このさぎょうを「まびき」といいます。

まびいて1本に。これをそだてていきます。

発芽にひつようなもの

発芽に必要なものはなんだかわかる？

タネをまくのにちょうどいいじきがあるから 温度？

正かい！

水！

正かい！！

あと1つは？

えっ？ ？？ ？？

空気だよ。さいしょに土のなかに根が出る、その時にこきゅうするから空気がひつようなんだ

くうき!?

びっくり!!

うえつけ

本葉が4〜5枚になったら、プランターにうえかえをします。茎や葉をおらないように気をつけましょう。

タネまきから
20〜30
日目

うえつける

1 土を入れて、あなをあける
プランターのふちから2センチメートルほど下まで土を入れたら、ポットが入る大きさのあなをあけます。

2 かりおき
苗をポットのままおいて、あなの大きさとうえるばしょをかくにんします。

3 苗をおさえる
かた手をピースサインにして、苗の茎をやさしくはさんで土をおさえよう。

くるりんぱ

4 苗をポットからはずす
苗をさかさまにして、葉や茎をおらないように気をつけながら、ポットをはずします。

5 うえる
ポットをはずした苗の土がばらばらにならないように、上下をもとにもどします。プランターのあなにおいて、まわりから土をかけよう。

しちゅうをたてる

1 しちゅうをたてる

アサガオは、わのついているしちゅうを使います。これを「行燈しちゅう」といいます。ぼうを鉢のそこまで、しっかりさしこみます。

2 わの高さを合わせる

しちゅうのわは、上・中・下とおなじくらいあいだをあけます。

3 水をあげる

苗がグラグラしないように、しっかりと土をおさえます。ジョウロを使って、プランターのそこから水がでてくるまであげます。

> アサガオは水がないとかれてしまうよ。タネまきから発芽までは、土をかわかさないように気をつけよう。発芽してからは、土の表面がかわいたら、しっかりあげます。

さいばい中のおせわ

毎日アサガオのおせわをします。水をやったり、ひりょうをあげたり、ほかにもいろいろなおせわがあります。

水やり

朝、水やりをしましょう。気温が高い時間にあげるのはやめましょう。水は土の表面がかわいたら、たっぷりあげます。また、鉢を持ってみて、かるく感じたらすぐに水をあげます。

ひりょう

つぶのひりょう（化成肥料）を使います。プランターにうえつけたら、だいたい2週間に1回、ティースプーン1杯、根元から少しはなれたところにばらまきます。

ゆういん

アサガオのつるをひもでゆるく1回むすびます。

しちゅうにむすびつけます。

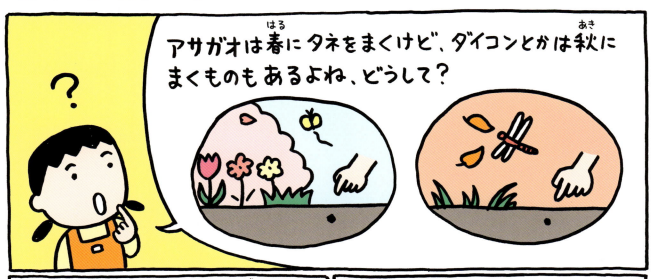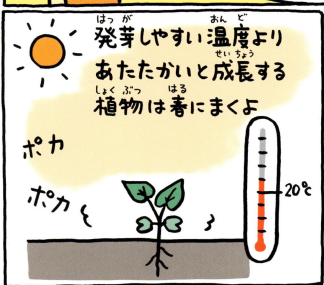

つるがのびてきたら、摘芯

大きなプランター（鉢）にうえつけてから 14〜20 日、本葉が 7〜8 枚くらいになると、つるがのびてきます。

本葉 7 枚目の上でつるをきります。これを摘芯といいます。

タネまきから
40〜50
日目

つるがのびてきた
つるがのびてきて、風でゆらゆらとゆれています。ふあんていです。

摘芯する
本葉 6〜7 枚目の上のつるをはさみできります（摘芯）。

ここできる →

きりとったつるの先にも、小さな本葉がついているよ。

摘芯したあと
つるをきると、白いえきが出てきます。手についたらよく洗おう。

なぜ摘芯をするのかな？

摘芯をすると、葉の根元からわき芽（つる）が出てきます。行燈仕立は、できるだけ早く、たくさんのわき芽を出させることで、きれいにしたてることができるのです。きったところから、わき芽が出てくるのをかんさつしてみましょう。

摘芯（2回目）と ゆういん

タネまきから **60～70** 日目

摘芯をすると、本葉のつけ根からわき芽が出てきます。わき芽がのびたら、2回目の摘芯をします。

ゆういんする

ゆういんは、つるどうしがからまないように、バランスよくしちゅうにとめよう！

1回目の摘芯で、わき芽が2～3本にふえています。それぞれをあさひもで、しちゅうにとめます。ぜんたいのバランスをみて、しちゅうの上下につるをゆういんします。

摘芯する

わき芽がしちゅうの上のわまでのびたら、2回目の摘芯をします。つるの先、本葉のつけ根の上できります。

摘芯したあとと、きった芽。

かんさつポイント

ポイント❶

きりくちから白いえきが出てきます。口にするとおなかをこわすこともあります。はだについたらよく洗おう。

ポイント❷

芽の先に白い毛がたくさん生えているね。虫メガネでかんさつしてみよう。

つぼみ

気温が高くなるにつれて、アサガオは大きくなります。ちかづいてかんさつしてみると、つると葉のつけ根に小さなつぼみがついていました。

タネまきから
70〜80
日目

気温が上がってくると、つるや葉がたくさんしげります。写真のように大きくなるころ、つぼみがつきはじめます。

葉のつけ根につぼみが出てきました。

つぼみが死ぬ!?

梅雨から夏になるころ、つるも葉もふえるので、水やひりょうをきらさないようにします。2回目の摘芯の時（20ページ）にひりょうをあげたら、6月にもう一度ひりょうをあげます。ひりょうが足りないと、つぼみがついても死んでしまうことがあるよ。つぼみが死ぬことを座死といいます。

花がさいた

花がさきました。真夏のアサガオは、夜明けごろに花がひらいて、日が出てからしばらくするとしぼみます。アサガオをかんさつするために、早おきしましょう。

タネまきから

90〜100日目

きれいな花がさきました。花をかんさつしましょう。色や形、花びらのやわらかさもかくにんします。
花をたくさんさかせたい時は、花がしぼんだあと、こまめに花がらとがくをとります。

▶ 開花の動画を見てみよう！

花のかんさつポイント

かんさつするポイントを考えてみましょう。どこにちゅうもくするかを考えるところから、かんさつははじまっています。

花の大きさを見よう
花の直径をはかってみましょう。大きな花がさいたかな?

花びらのかずは?
ヒマワリなどは花びらをかぞえられるけど、アサガオはどうでしょうか? 花がかさのようにひらいています。とじたらつつのようにも見えます。

花の色
何色の花がさいたかな?

アサガオはおし花にもできるニャ!

花の中を見る
おしべとめしべはどこについているのかな? どんな形かな?

タネをとってみよう

タネまきから **120〜150** 日目

さいばいをつづけると、タネがとれます。タネができるまでかんさつしましょう。とれたタネは、次の年にまくこともできます。タネは、花がしぼんでから40日〜60日くらいでとれます。

タネができるまで

花のあとに青いかたまりができます。

茶色くなってきました。

カラカラにかわいたら、ハサミできりとってみよう。

一つのかたまりの中にタネがいくつ入っているかな？

風とおしのいいところで、1ヵ月ほどかんそうさせよう！

はっぴょうする・つたえる

アサガオをさいばいして、かんさつしたり、かんじたりしたことをまとめてはっぴょうしてみましょう。ここではポスターの作り方をしょうかいします。きろくしてきたメモや写真をもとに、大きな紙にまとめます。

さいばいのけいかをつたえる
きろくした時に日にち、へんかをしるしていたね。それを使って、さいばいのけいかをつたえよう。

写真やスケッチをかつようする
さいばいのようすを写真やスケッチで見せるとわかりやすいです。

ぜんたいと小さなところをうまく見せる
せいちょうがわかる植物ぜんたいのすがたと、毎日かんさつしなければわからない、こまかいへんかをりょうほうつたえよう。

グラフを作ってみよう
せたけや葉のまいすうなど、すうじをきろくしていたものはグラフにしてみよう。

ふりかえり
さいばいがおわって、うまくいったところ、ぎゃくにしっぱいしたところなどもふりかえってみよう。「水をもっとあげればよかった」、「花がさいた時はうれしかった」などふりかえることで、次のさいばいにいかすことができるでしょう。

アサガオ新聞

2025年1月1日 1号
発行 誠文堂新光社
わくわく園芸編集部

アサガオのしゅるい

ヘブンリーブルー

アサガオはヒルガオ科の仲間で、ヒルガオ、ヨルガオ、サツマイモやクウシンサイもおなじ仲間だが、アサガオはどくがあるので、食べられない。

アサガオには、日本アサガオ、ヘブンリーブルーなどの西洋アサガオ、宿根アサガオ、リュウキュウアサガオなどがある。

江戸時代にアサガオブーム

江戸時代はしゅみとして園芸がひろまった。アサガオは品種改良がすすみ、さまざまな花色がたんじょうし、一大ブームとなった。変わった色や形の「変化アサガオ」も作られていた。今はない黄色の花もあったといわれている。

アサガオのげんさんち

アサガオのげんさんちは、はっきりわかっていない。ネパールやねったいアジア、ねったいアメリカなどいろいろなせつがある。

日本には、奈良から平安時代に、中国から薬草（げざい）としてやってきたといわれている。

クイズ

Q1 アサガオはどっちまわりにのびる？

Q2 「ク」ではじまるヒルガオ科の野菜は？

Q3 アサガオは1日のうちでいつさく？

＊こたえはいちばんさいごのページ（32ページ）

清水俊英（しみずとしひで）

1963年神奈川県川崎市生まれ。自然に囲まれて育ち、植物や昆虫が好きになる。1987年岩手大学農学部畜産学科卒業後、株式会社サカタのタネ入社。芝草種子の営業、造園緑花部緑花課長、資材統括部長、コーポレートコミュニケーション部長を経て、現在、同社理事。認知症予防専門士、樹木医、造園施工管理技士一級、グリーンアドバイザー。人と植物がゆるやかにつながり、両方が幸せに生きていける社会の役にたちたいと考えている。

イラスト・マンガ	坂木浩子
写真	徳田悟
	清水俊英（栽培写真）
表紙・本文デザイン	中澤明子
校正	株式会社文字工房燦光
協力	降旗大樹

「アサガオ新聞」（29ページ） クイズのこたえ
Q1 左まわり
Q2 クウシンサイ
Q3 日がくれて、くらくなってから10時間後

マンガと写真でよくわかる
わくわく園芸部③　アサガオ

2025年1月18日　発行　　　　　　　　　　NDC620

著　者	清水俊英	
発行者	小川雄一	
発行所	株式会社 誠文堂新光社	
	〒113-0033 東京都文京区本郷3-3-11	
	https://www.seibundo-shinkosha.net/	
印刷・製本	株式会社 大熊整美堂	

©Toshihide Shimizu. 2025　　　　　　　　　　　Printed in Japan

本書掲載記事の無断転用を禁じます。

落丁本・乱丁本の場合はお取り替えいたします。

本書の内容に関するお問い合わせは、小社ホームページのお問い合わせフォームをご利用ください。

本書に掲載された記事の著作権は著者に帰属します。これらを無断で使用し、展示・販売・レンタル・講習会等を行うことを禁じます。

[JCOPY] <（一社）出版者著作権管理機構　委託出版物>

本書を無断で複製複写（コピー）することは、著作権法上での例外を除き、禁じられています。本書をコピーされる場合は、そのつど事前に、（一社）出版者著作権管理機構（電話 03-5244-5088 / FAX 03-5244-5089 / e-mail：info@jcopy.or.jp）の許諾を得てください。

ISBN978-4-416-52415-2

かんさつシートをかこう

> 学ねんや組、なまえを書きます。

> かんさつした日づけとてんきを書きます。

かんさつシート　　1年　1組　なまえ　ふりはただいき

● 8月 6日（火）てんき　はれ

● テーマ　花が さいた

あさおきて アサガオに水をあげようとしたら、花がさいていた。花びらはうすく、やわらかい。

気づき
アサガオの花がさくのは、なんじごろだろう？早おきしてたしかめたい。

> アサガオのようすや、どんなおせわをしたかなど、テーマ（だい）を書きます。

> 植物のようすをスケッチします。しっかりかんさつして、こまかいところまでかいてみましょう。色をつけるとわかりやすいです。

> かんさつしたことをことばでメモします。大きさや色、形、かずをかくにんしたり、植物をさわったり、ちかづいてにおいをかいだり、どのようにかんさつするかは君しだい！

> かんさつやおせわをするなかで、へんかがあったことや、はっけんしたことを書きとめておきます。